DÉLIRONS AVEC Léon !

UNE TONNE DE TRUCS À FAIRE PERDRE LA TÊTE

NUMÉRO 2

PAR

ANNIE GROOVIE

EDOUARD BELANGER

SALUT

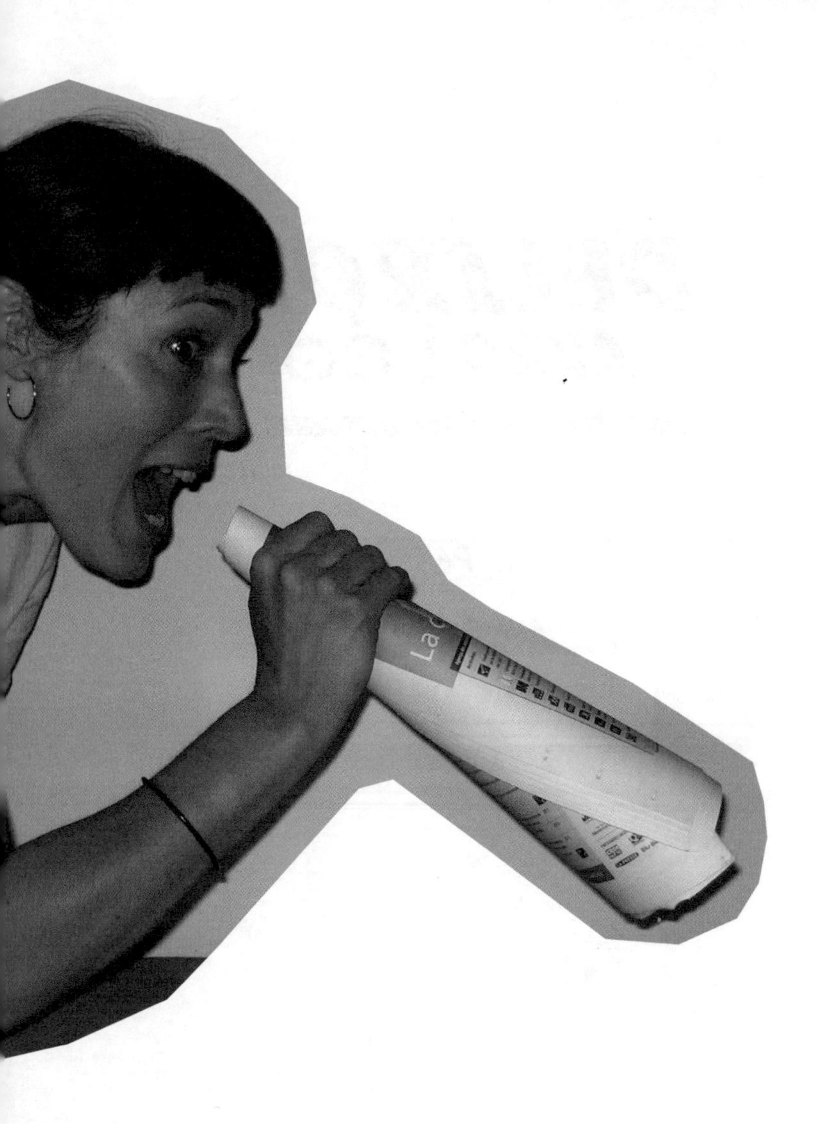

À tous les enfants,
petits et grands.

À Nathalie la cascadeuse et
à Sophie, ma « cheerleader »
personnelle. À la terrasse
du Second Cup de l'avenue
du Mont-Royal.

À mon éditeur, qui me laisse
une très grande liberté
de création.

LÉON!

LÉON!

EN VEDETTE :

LÉON, NOTRE SUPER HÉROS !

Le surdoué de la gaffe,
toujours aussi nono et aventurier.

LE CHAT,

Fidèle ami félin plein d'esprit.
On ne peut rien lui cacher.

LOLA,

La séduisante au grand cœur.
Son charme fou la rend irrésistible.

BIENVENUE DANS L'UNIVERS DÉLIRANT DE LÉON

Ce livre contient des tas de trucs trippants pour vous faire rire, vous surprendre, vous distraire, vous faire réfléchir et même vous rendre plus intelligents (oui, ça se peut !).

Farces, jeux, histoires **bizarres** ou même techniques de séduction, il y a tout ce qu'il vous faut là-dedans pour chatouiller votre cerveau et votre ***sens de l'humour***.

À la fin du livre, vous devrez une fois de plus vous creuser un peu les méninges pour trouver un **CODE SECRET** dont vous aurez besoin pour accéder à un nouveau jeu sur le site Internet.

Vous remarquerez aussi qu'il y a un TRAIT POINTILLÉ dans le coin supérieur de chaque page. Ce n'est pas une erreur, c'est une marque indiquant où **plier** la feuille pour vous aider à retrouver la page où vous étiez rendus. Génial, non ?

Ce livre est en format de « poche », ce qui ne veut pas dire qu'il est « plate », mais plutôt qu'il est tellement **COOL** que vous pourrez l'emporter **PARTOUT** avec vous et le lire dans l'autobus, à l'école, au zoo, aux toilettes, à la piscine ou, tout simplement, confortablement installés dans votre douillet chez-vous.

Alors, relevez vos manches et plongez sans plus tarder dans ce merveilleux monde de l'humour et de l'absurde !

ATTENTION : À LA LECTURE DE CE LIVRE, VOUS RISQUEZ DE VOUS ÉTOUFFER DE RIRE, DE SURPRISE OU DE DÉLIRE. PETIT CONSEIL D'AMIE : ÉVITEZ DE BOIRE OU DE MANGER, MÊME EN LE FEUILLETANT.

Table des matières

I ♥ NY...
et la crème glacée !

LA BELLE VIE

Dring !
Dring !
Dring !
Dring !
Dring !
Dring !
(Répondeur :)
Bonjour, je suis présentement très, très occupé. S.v.p., laissez-moi un message...

COUPE MAISON

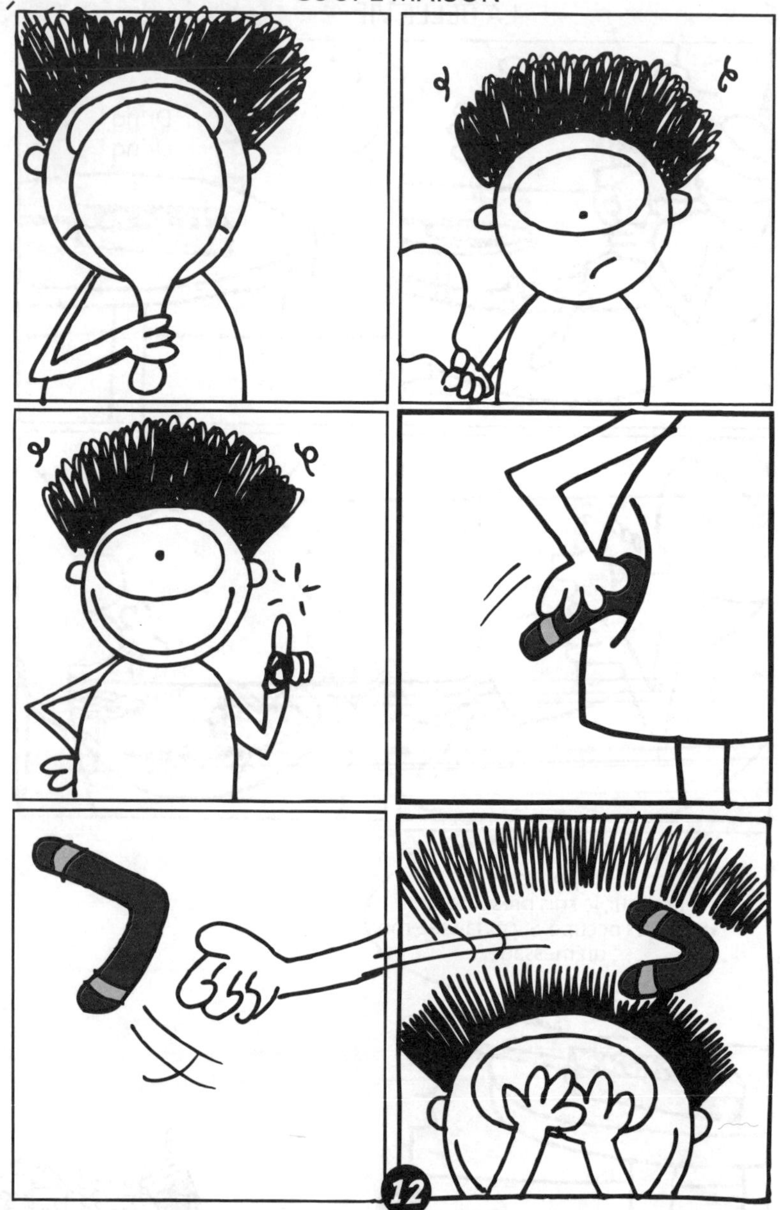

MIAM-MIAM

SUPER POPULAIRE
Vous avez 25 nouveaux messages !
Dring ! Dring !
Ding, dong !
Dring ! Dring !
Ding, dong !
Dring ! Dring !
Vous avez 1 nouveau message !
Allô ? Euh... un instant, on sonne à la porte...
Ding, dong !
Ding, dong !
Trop de monde m'aime !

MAUVAISE CONDUITE

Mais qu'est-ce qu'elle fait ?

Pourquoi elle n'avance pas...

#@%$?&*!@# !

!

Allô Léon !

Lo... Lo... Lola !

MÉCHANT LOOK !

SURPRISE !

Oh ! Le gros œuf...
Je vais peut-être assister à la naissance d'un oiseau...
Ça y est ! Il sort...
#@%$?&*!@# !!!
Aaaaaaaah !

PAUSE PUB

PRODUIT : DOUCHE TÉLÉFUN

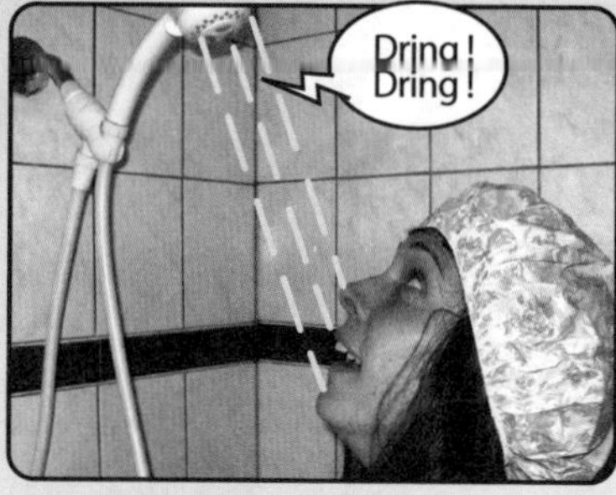

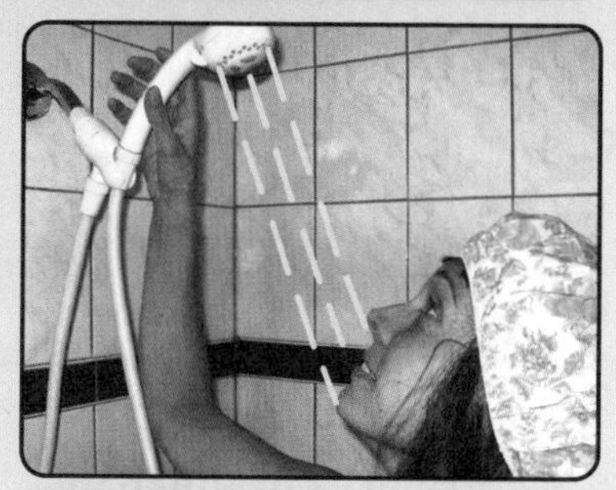

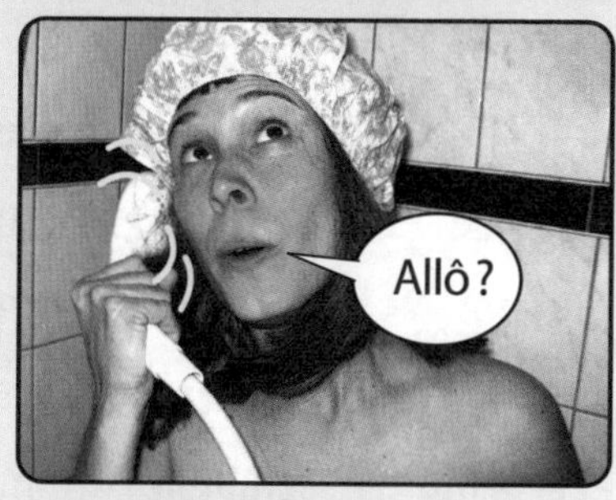

MON ŒIL !

Histoires insolites

SINGERIES

Un singe du nom de Mokoko aurait traversé la mer intérieure du Japon en planche à voile, à en croire le journal *Asahi Shimbun*. Équipé d'une combinaision, il aurait mis 11 heures pour parcourir 80 kilomètres. Cette performance demande un mois d'entraînement intensif.

Journal *Asahi Shimbun* (janv. 1996)

AU VOLEUR !

Les voleurs vietnamiens vont en voir de toutes les couleurs ! Depuis 2003, la police de Hanoi s'est équipée de fusils de *paintball*. Maculés de peinture, les malfaiteurs qui s'enfuient à moto ne pourront plus se fondre dans la circulation. Les marqueurs ont une portée de 10 mètres.

The Age, Melbourne (nov. 2003) / *Courrier international* (hors série, juin-juillet-août 2006)

CAUCHEMARS À PARTAGER

Les vrais jumeaux partageraient une foule de choses, y compris les cauchemars. Selon une étude réalisée sur 4 000 d'entre eux par des chercheurs d'Helsinki (Christer Hublin et ses collègues), les mauvais rêves pourraient être d'origine génétique. La possibilité que deux jumeaux fassent les mêmes cauchemars est deux fois plus élevée chez les monozygotes (issus du même œuf) que chez les dizygotes. *Panorama*, Milan (août 1998)

SORTEZ LE MÉCHANT

Vous êtes stressés, énervés ? Frappez quelqu'un ! Pour 1000 yens (7 euros), vous pouvez vous défouler pendant trois minutes sur Jun Sato, qui travaille comme *punching-ball* humain dans le quartier commerçant de Ginza, à Tokyo. « J'aime bien qu'on me cogne dessus. Les affaires marchent bien, et c'est une autre façon de voir la vie », a-t-il déclaré au *Mainichi Daily News*. (Nov. 1999)

Courrier international (hors série, juin-juillet-août 2006)

AUTONOMIE

Un jeune garçon de Sleaford, en Angleterre, âgé seulement de trois ans, aurait acheté par lui-même une voiture de collection mise aux enchères sur le site eBay, d'une valeur de 18 000 $! Jack Neal aurait utilisé l'ordinateur de sa mère sans qu'elle le sache et, comme elle avait enregistré son mot de passe, l'enfant n'aurait eu qu'à appuyer sur le bouton « acheter maintenant » . Ce n'est qu'en recevant un message d'eBay annonçant qu'ils avaient remporté l'enchère, et donc acheté une Nissan Figaro rose Barbie de collection, que ses parents ont découvert la transaction. Sa mère a déclaré : « C'est un as avec l'ordinateur et il appuie toujours sur les bonnes touches, mais maintenant, nous avons un contrôle parental ! » Le directeur du garage d'où provenait la voiture a été amusé par l'histoire et a accepté de remettre le véhicule en vente.

Londres (AFP)/*Le Journal de Québec* (sept. 2006)

PAS DE CHANCE

Harvey Bennett, un marin américain, aurait lancé à la mer cinq bouteilles de plastique contenant des messages. Il aurait finalement reçu une réponse d'Angleterre, dans laquelle on l'accuse de polluer les côtes ! *San Mateo Daily Journal*, San Mateo (fév. 2006)

DOÙCÉQUECÉQUEÇAVIENT ?

POUR CONNAÎTRE L'ORIGINE DES CHOSES... SELON LÉON ET SELON LES EXPERTS !

Qui dit vrai ?

A. Il y a de cela très, très longtemps, on fabriquait les humains un à un, à la chaîne, dans une grande usine. Puis, un jour, le stock d'yeux vint à manquer. Oups... Le contrôleur responsable de commander les différentes parties du corps s'était trompé dans ses calculs ; il n'y avait donc plus assez d'yeux disponibles ! Malheur ! Que faire ?

Alors, après mûre réflexion, pour ne priver personne de la vue, on a dû continuer la production en répartissant les yeux restants parmi tous les humains créés ce jour-là. C'est à partir de ce moment que les cyclopes ont vu le jour. Voilà ! N'est-ce pas une belle leçon de partage, ça ?

B. La légende des cyclopes proviendrait de forgerons qui portaient une protection sur un œil, tels des pirates, de peur de perdre la vue en cas de projection d'escarbilles brûlantes. Les forgerons portaient également des tatouages en plein front en l'honneur du soleil, ce qui pourrait être une autre origine du mythe.

Source : Wikipédia

Qui dit vrai ?

A. Le « bonhomme sept heures » s'appellerait Roger, vivrait au Québec et serait encore en vie ! Eh oui, on dit qu'il aurait aujourd'hui 125 ans et serait très bien conservé. Comment sa longévité s'explique-t-elle ? Facile, il a passé sa vie à se coucher très tôt tous les soirs, à 7 h !

B. L'expression « bonhomme sept heures » serait en fait une déformation de l'expression anglaise « bone setter ». Un « bone setter », mieux connu au Québec sous le nom de « ramancheur », est une personne qui replace les articulations démises ou qui fait des manipulations pour guérir les maux de dos, par exemple.

Lorsqu'on le faisait venir à la maison, souvent la personne traitée gémissait, grinçait des dents ou criait de douleur, ce qui faisait très peur aux enfants présents. Plus tard, quand ceux-ci ne voulaient pas obéir, on les menaçait du « bone setter ». Au Québec francophone, le « bone setter » est devenu le « bonhomme sept heures ».

Source : Funfou.com

ET SI ET SI ET SI...

Bienvenue dans un monde où L'IMAGINATION est de mise...

ET SI ON AVAIT DES YEUX DERRIÈRE LA TÊTE ?

Imaginez un instant ce que ça changerait...

> **On pourrait faire plusieurs choses en même temps...**

> **Plus personne ne parlerait dans le dos des autres !**

> **Les lunettes seraient drôlement faites !**

> **On ne pourrait pas porter de tuque !**

> **On ne se ferait plus jamais faire de sauts ! Bouh !**

> **Il n'y aurait plus de devant ni de derrière...**

> **On ne saurait plus si on avance ou on recule...**

> **On ne pourrait plus avoir une idée derrière la tête !**

ET SI ON AVAIT TROIS VIES, COMME DANS LES JEUX VIDÉO ?

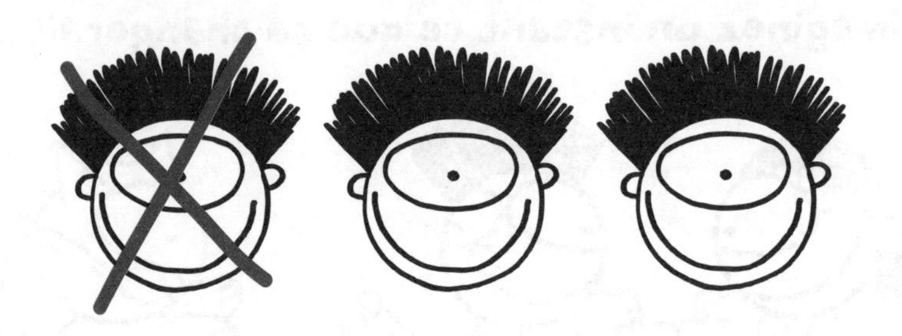

> On prendrait bien plus de risques ; on essaierait plein de trucs dangereux !

> On apprendrait de nos erreurs et on éviterait de les refaire...

> On vivrait beaucoup plus vieux !

> Le suicide ne serait plus une solution...

> On irait très rarement à des funérailles...

> On pourrait rapporter dans les détails tous les éléments et les preuves entourant notre propre meurtre, ce qui permettrait de retrouver plus facilement les coupables !

ET SI L'ARGENT POUSSAIT DANS LES ARBRES ?

> Tout le monde jardinerait !

> Plus personne ne voudrait travailler...

> Il y aurait tellement d'argent que celui-ci ne vaudrait plus rien...

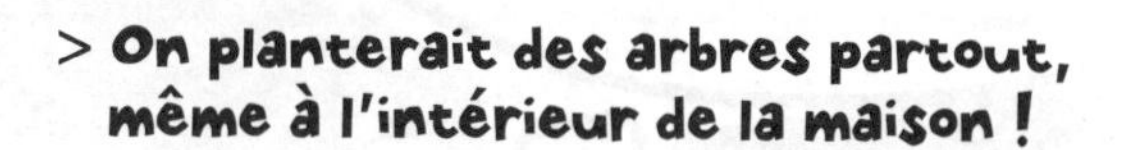

> On planterait des arbres partout, même à l'intérieur de la maison !

> Il faudrait entourer tous les arbres de notre terrain de grillages verrouillés, car il serait très facile et tentant de voler chez le voisin !

> On ferait moins de coupes à blanc...

> Les forêts et les parcs seraient hyper surveillés ! On ne pourrait plus s'y promener librement...

> On n'aurait plus besoin de guichets automatiques !

> Les bûcherons iraient en prison !

MAINTENANT, À VOUS D'IMAGINER CE QUE TOUT ÇA CHANGERAIT DANS VOTRE VIE...

Réponse à la page 84

Réponse à la page 84

Elle est bonne !

Toutes ces farces « plates » sont des créations maison, totalement uniques ! Amusez-vous bien...

- Pourquoi les manchots ne peuvent-ils jamais s'acheter de Porshe ?

  Parce que ça coûte un bras.

- Saviez-vous que les menuisiers dorment toujours en travaillant ?

  Eh oui, ils cognent des clous toute la journée !

- J'ai un ami qui est né d'une mère vietnamienne et d'un père italien. Sais-tu comment ils l'ont appelé ?

  Ling Guini

- Léon veut fonder un cirque. Savez-vous comment il va l'appeler ?

  Le Cirque du Seul ŒIL !

• **Saviez-vous que les boxeurs sont très bons en cuisine ?**

La recette qu'ils réussissent le mieux est « l'œil au beurre noir ». Excellent avec beaucoup de sel et de ketchup !

• **Un homme se fait arrêter par la police pour excès de vitesse. Il est paniqué. La police lui demande :**

« Mais Monsieur, pourquoi êtes-vous si énervé ?

– Parce que je suis allergique aux noix !

– Et puis, quel est le problème ?

– Vous allez me donner une amande ! »

• **C'est bien connu : les facteurs n'aiment pas les maisons mobiles !**

• **Un couple va s'acheter une télévision.**

L'homme dit à sa femme :

« Maintenant, chérie, on va devoir s'acheter un dictionnaire ! »

« Quel est le rapport ? demande-t-elle.

– Ben voyons, notre nouvelle télévision est à haute définition ! »

PAUSE PUB

Pas le temps de prendre une douche ?

Essayez le nouveau Lave-Aisselles

SEULEMENT

12,95 $

Au bureau, à la maison ou au restaurant, le nouveau Lave-Aisselles changera votre vie sociale !

Je l'appelle ?
Non.
Devrais-je l'appeler ?
Euuhhh...
Et puis, c'est à lui de m'appeler.
De nos jours, ce sont les filles qui font les premiers pas...
Il va appeler...
Elle va appeler...

QUEL TALENT !

DÉDUCTION FÉMININE

UN VRAI CONTE DE FÉES...

OUCH...
Allô !
Allô
Lola !
BANG !
Ça doit être ça
qu'on appelle
un coup de foudre !
Léon ?
Ça va ?
39

À MINUIT, UN SOIR DE PLEINE LUNE...

FLAGRANT DÉLIT

RENVERSANT !

Bravo Léon !
Maintenant, j'ai l'air
de quoi ?
Comme il
est charmant !

POURQUOI...
Léon ?
Oui ?
Pourquoi les amoureux se ferment-ils les yeux quand ils s'embrassent ?
Euh... Eh bien, j'imagine que c'est... Euh... euh...
Pour ne pas voir leurs poils dans le nez !
Ah, bon. Merci.
De rien.

MALADE IMAGINAIRE
Ah, garde-malade, je souffre...
Ah, oui, pauvre monsieur ! Vous avez l'air vraiment souffrant !
Je vais vous soulager...
... en vous injectant un antidouleur !
Aaaaah ! Pourquoi j'suis jamais capable de lui dire non ?

Je suis prêt
pour le décollage !
COLLE

Trucs de séduction POUR FILLES

AVERTISSEMENT : *Ces trucs de séduction sont en fait des conseils d'une bonne amie qui est, comme on dit, déjà passée par là ! Il se peut donc qu'ils soient ultra-efficaces pour vous ou qu'ils ne le soient pas du tout... Si vous n'êtes pas d'accord avec ces propos ou s'ils vous offusquent, ne soyez pas fâchées : après tout, on ne fait que s'amuser un peu !*

1. RESTEZ VOUS-MÊMES

Il peut arriver que vous soyez portées à changer votre comportement pour plaire à un garçon. Dommage ! Pourquoi ne pas en choisir un qui vous aimera telles que vous êtes vraiment ? Il me semble que ce serait bien plus agréable et surtout plus valorisant. Non ?

2. UN REGARD ET UN SOURIRE !

Un gentil jeune homme vous plaît, et vous ne savez pas comment le lui dire ? Pas de problème ! Lorsque vous le croisez, regardez-le droit dans les yeux tout en lui montrant vos belles dents blanches. Il ne peut qu'être charmé ! Un petit détail : assurez-vous avant tout de ne rien avoir entre les dents, car un sourire qui révèle un morceau de brocoli dans les palettes, ça perd un peu de son attrait...

3. PAS TROP VITE

Depuis l'ère des singes, c'est connu, les gars ont un instinct de chasseurs bien marqué. Donc, si les filles s'intéressent top facilement à eux, ils risquent de s'éloigner rapidement. Un petit conseil : prenez votre temps et ne leur sautez pas au cou trop vite !

4. JE L'APPELLE OU PAS ?

La fameuse question ! Qui doit appeler qui ? Il n'y a pas de règle établie, mais je vous dirais que, si vous décidez de faire les premiers pas, assurez-vous d'avoir quelques sujets de conversation en tête.

Trucs de séduction

POUR GARÇONS

AVERTISSEMENT : Chers messieurs, j'ai eu envie de vous offrir quelques conseils féminins judicieusement choisis. J'espère qu'ils sauront vous arracher un sourire...

1. SENTIR BON

Un petit conseil : évitez de manger de l'ail ou de l'oignon cru avant de vous adresser à la fille de vos rêves. Sinon, elle pourrait déchanter...

2. UN PEU DE CLASSE !

Certains garçons ont la fâcheuse habitude de parfois laisser sortir des sons disgracieux de leur corps... Je ne pense pas que les filles trouvent cela très charmant. Qu'en pensez-vous ?

3. UN COMPLIMENT, ÇA FAIT TOUJOURS PLAISIR

Dire à une fille qu'elle est jolie ou que ce qu'elle porte lui va bien ne coûte pas grand-chose et peut lui faire vraiment plaisir. N'hésitez donc pas à complimenter les filles que vous rencontrez !

4. MONTREZ-LUI DE L'INTÉRÊT

Plutôt que de déballer votre vie devant une demoiselle et de vous vanter d'avoir compté cinq buts au soccer, demandez-lui de vous parler d'elle : de ses intérêts, de ses sports préférés, de ses amis, de sa famille, etc.

Léon?
Ça va ?
CHUUUUT !
J’écoute la télé.

QUE FAIRE DE VOS 10 DOIGTS À PART VOUS LES METTRE DANS LE NEZ...

LE PONT EN CORDE

22 étapes faciles à suivre

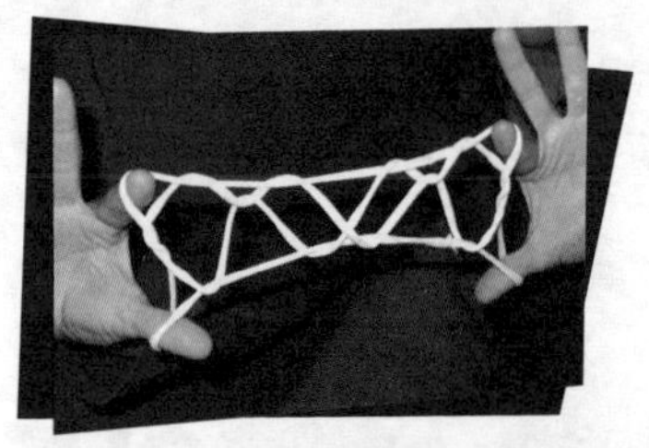

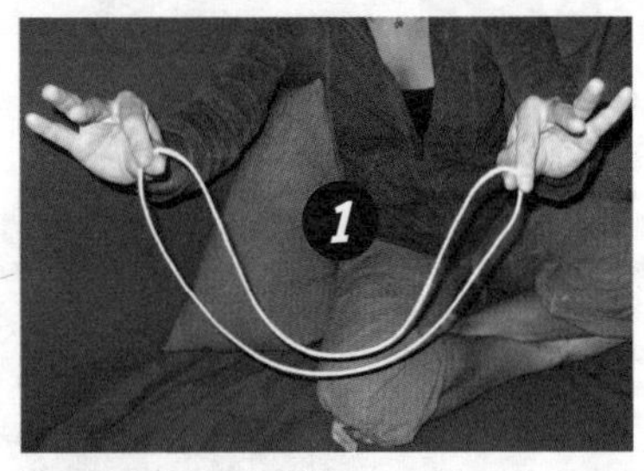

Prenez une corde assez longue et fermez-la en faisant un nœud plat.

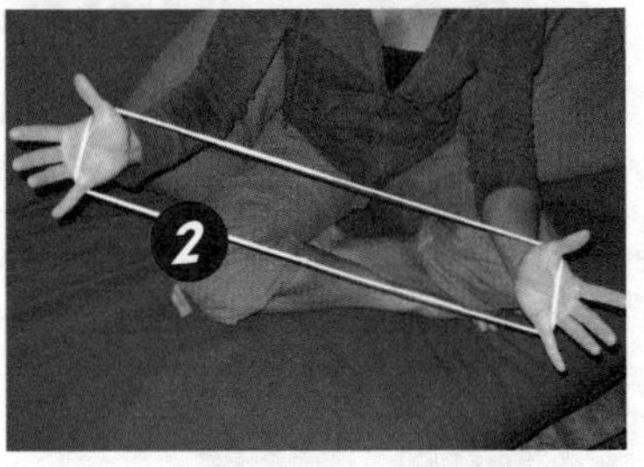

Passez-la ensuite entre vos pouces et vos petits doigts.

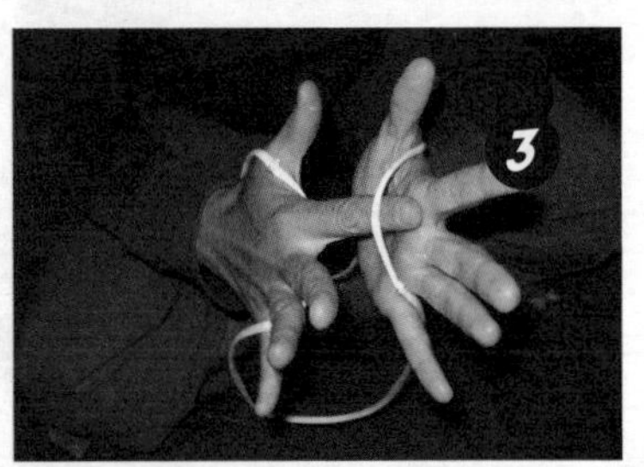

Passez votre index droit dans la corde...

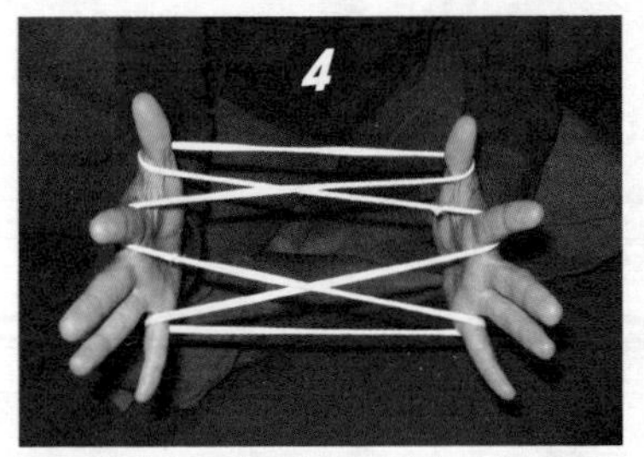

... puis faites la même chose avec votre index gauche.

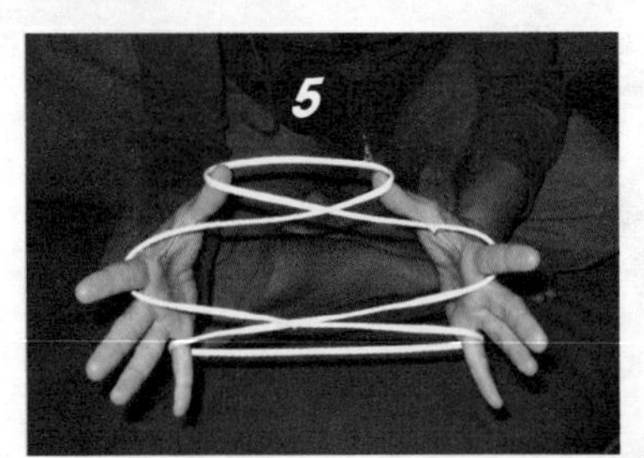

Laissez sortir vos pouces.

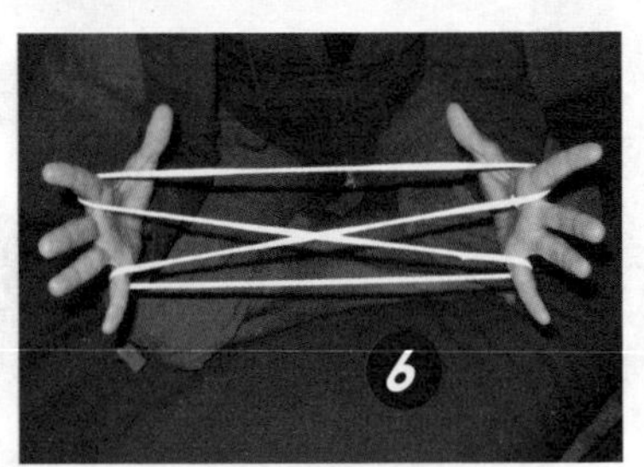

Vous voilà rendus ici.

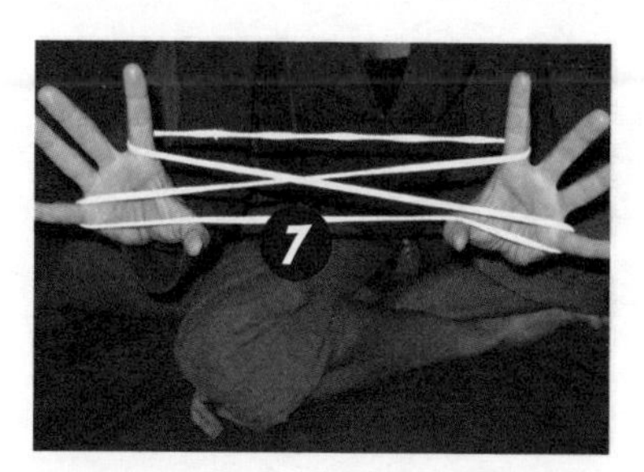

Avec vos pouces, allez chercher la corde du fond par en-dessous...

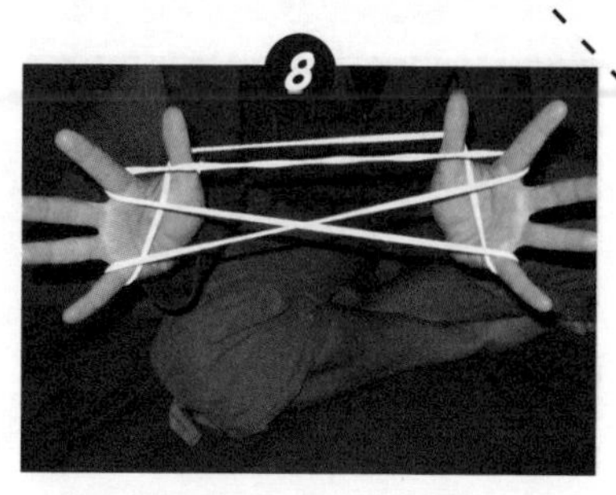

... et ramenez-la vers vous.

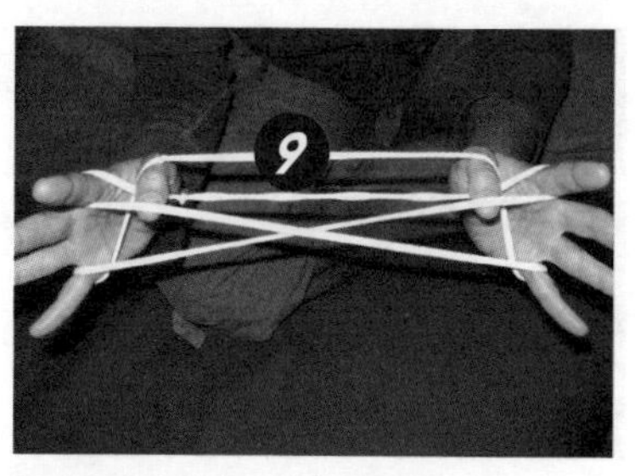

Repassez vos pouces sous les cordes comme ci-dessus...

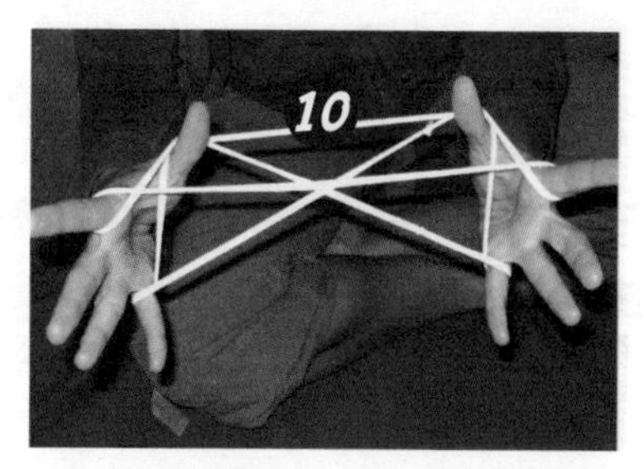

... et ramenez-les vers vous. Vous devriez obtenir cette figure.

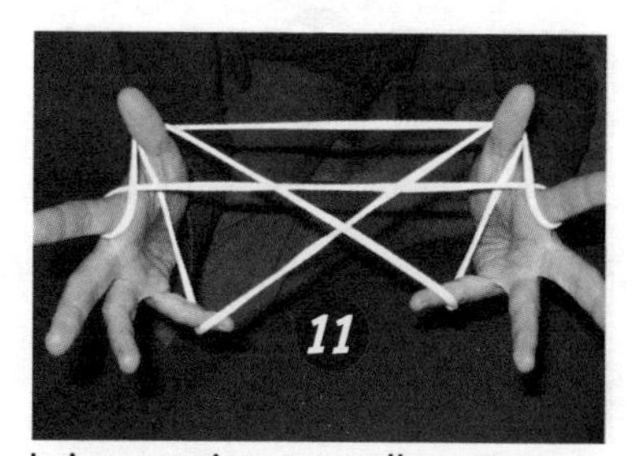

Laissez maintenant aller vos petits doigts.

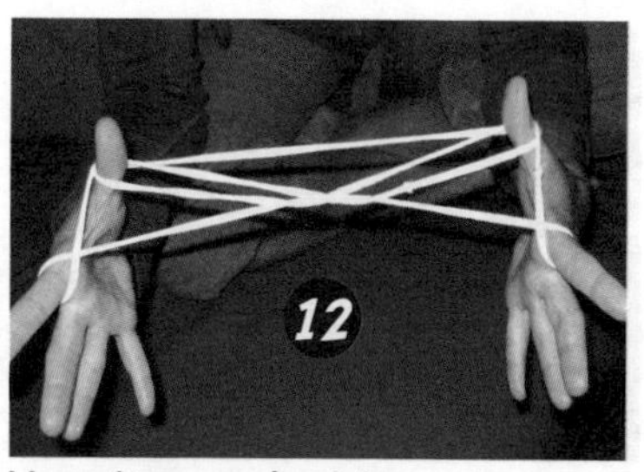

Vous êtes rendus ici.

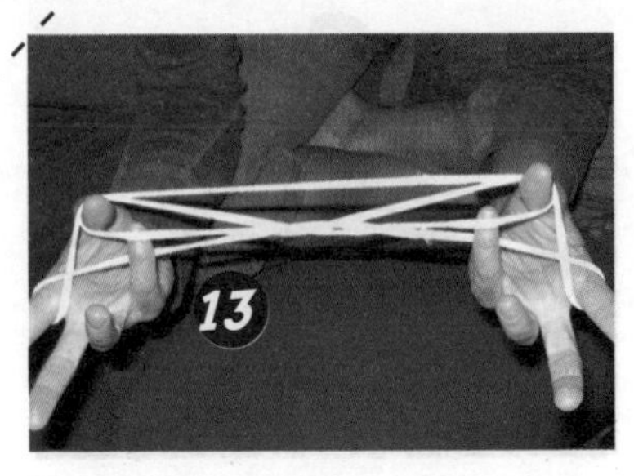

Entrez vos petits doigts dans les cordes comme ci-haut.

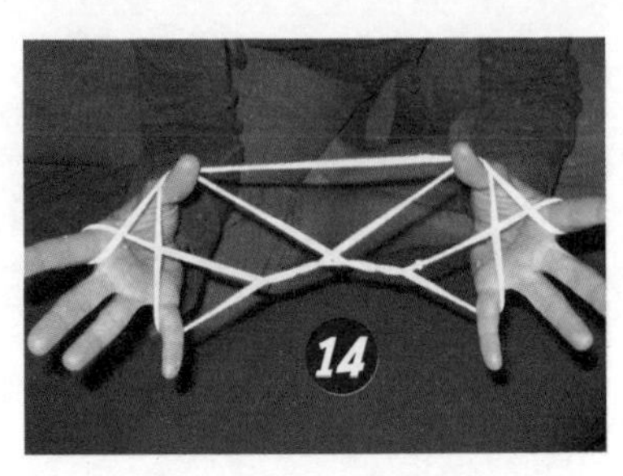

Courage, vous avez bientôt fini !

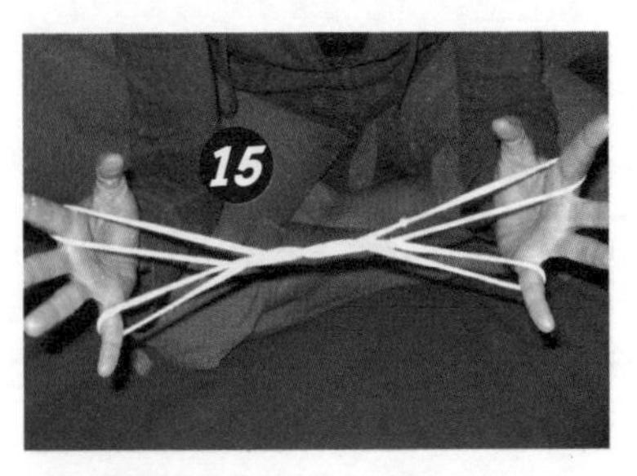

Maintenant, laissez aller vos pouces...

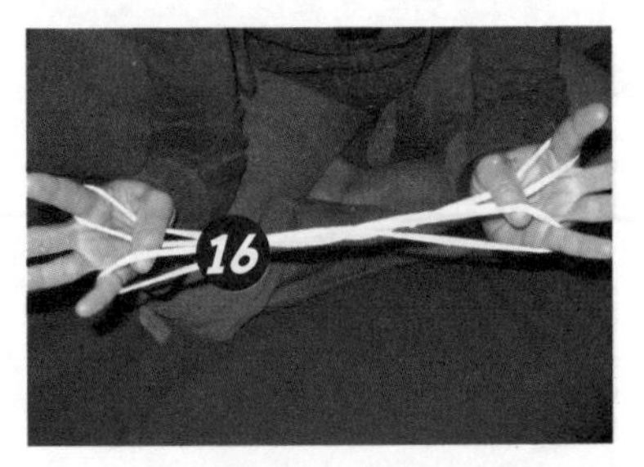

... puis repassez-les dans les cordes comme sur la photo...

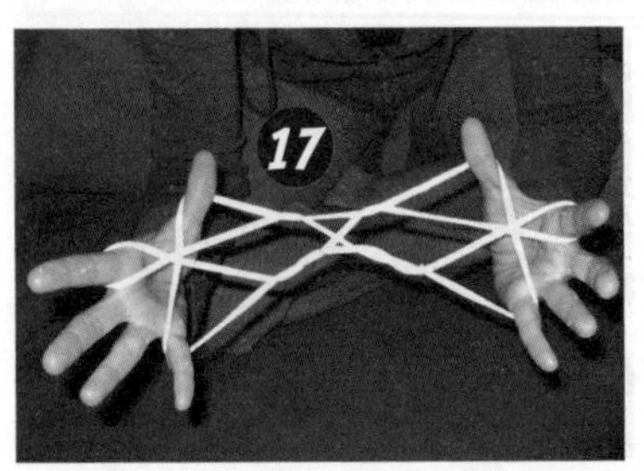

... et ramenez-les vers vous. Vous y êtes presque, ne lâchez pas !

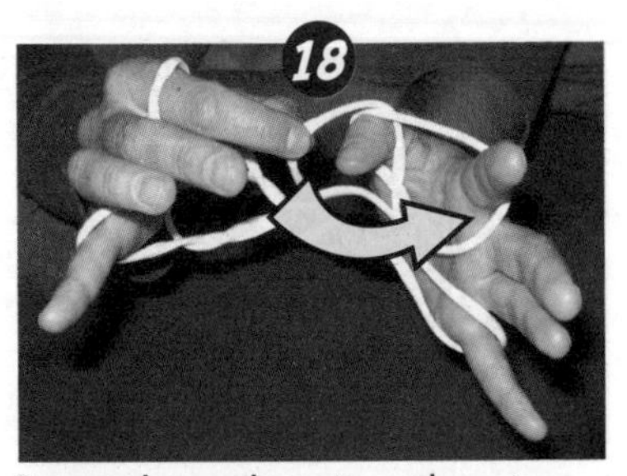

Prenez la corde autour de votre pouce et placez-la autour de votre index...

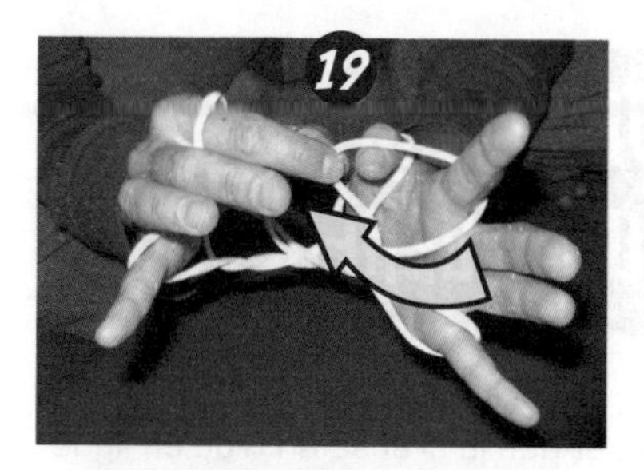

... puis faites la même chose en passant de l'index au pouce. Répétez cette étape avec l'autre main.

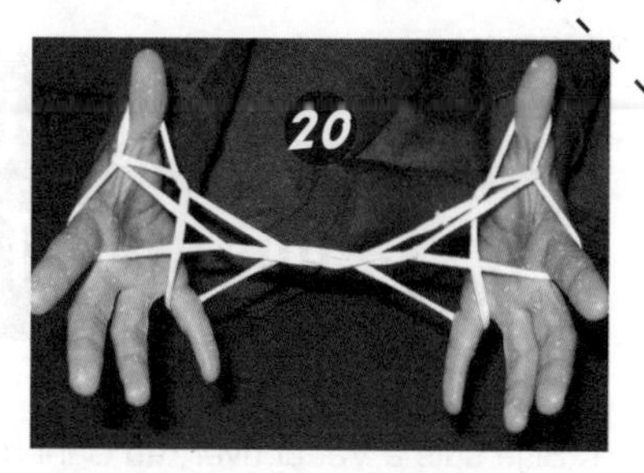

Si vous ne vous êtes pas trompés, vous devriez obtenir ceci.

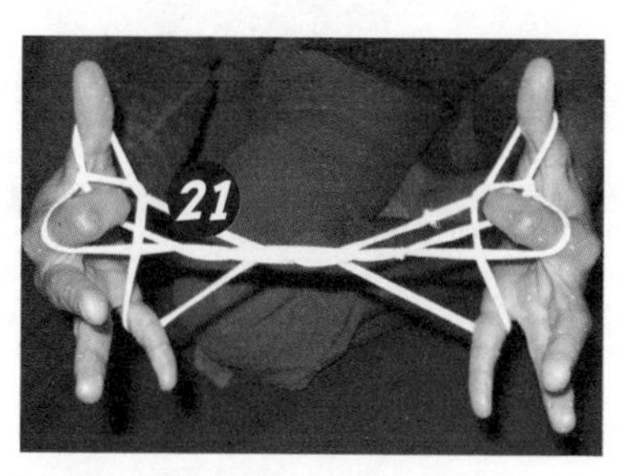

Passez ensuite vos deux index en même temps dans les trous comme ci-dessus...

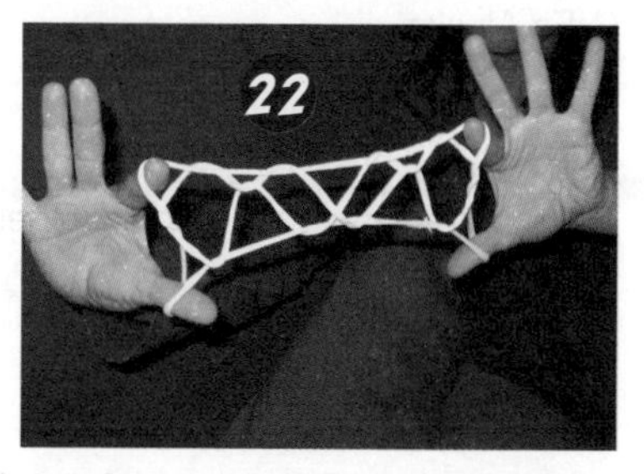

... en laissant aller les petits doigts. Tadam ! Vous venez de réaliser un superbe pont en corde. Bravo !

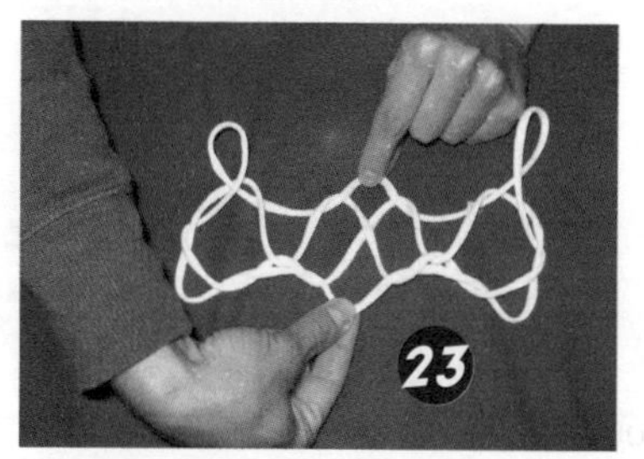

Pour le défaire, c'est facile : tirez les cordes de chaque côté comme ci-haut.

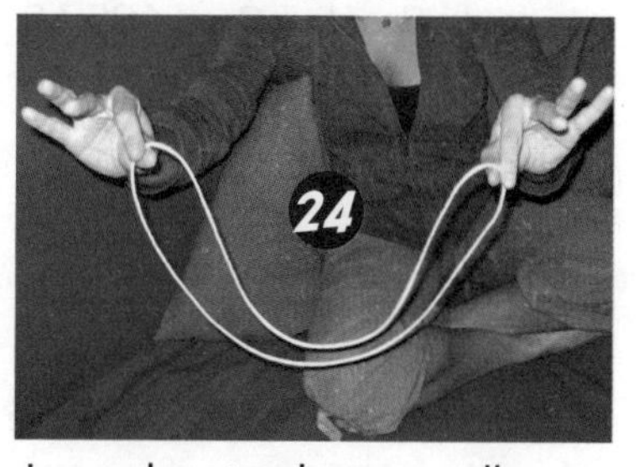

La corde est redevenue telle qu'elle était initialement. Vous pouvez donc recommencer !

TEST : AVEZ-VOUS UNE BONNE CULTURE GÉNÉRALE ?

1. Si je suis à Vancouver, au Canada, et que je creuse un trou en ligne droite en passant par le centre de la Terre, où me retrouverai-je ?

A. Dans l'océan Indien

B. Au Japon

C. En Alaska

D. Dans l'océan Pacifique

2. Léon s'est fait mal au pied. Quel médecin devrait-il consulter ?

A. Un podiatre

B. Un psychiatre

C. Un pédiatre

D. Un pédicurien

3. Quel était le nom de la chienne lancée dans l'espace par l'URSS à bord du *Spoutnik-2*, en 1957 ?

A. Kaïla

B. Luka

C. Laïka

D. Kookaï

4. Un liquide vermeil est de quelle couleur ?

A. Jaune

B. Vert

C. Rouge

D. Brun

5. Quel artiste peintre s'est tranché une oreille ?

A. Pablo Picasso

B. Salvador Dáli

C. Joan Miŕo

D. Vincent van Gogh

6. Laquelle de ces boules n'existe pas au bingo ?

A. B-12

B. N-38

C. G-68

D. O-74

7. Où trouve-t-on la tour de Pise ?

A. En France

B. En Italie

C. En Espagne

D. En Angleterre

8. Entre quelles planètes se situe la Terre ?

A. Mercure et Mars

B. Vénus et Mars

C. Mars et Jupiter

D. Saturne et Uranus

9. Laquelle de ces villes a tenu des Jeux olympiques d'été ?

A. Albertville

B. Nagano

C. Sydney

D. Calgary

10. Lequel de ces pays n'utilise pas l'euro comme monnaie ?

A. L'Espagne

B. L'Angleterre

C. La France

D. L'Allemagne

11. Le fémur est un os situé dans :

A. La cuisse

B. L'avant-bras

C. Le pied

D. Le doigt

12. Quand a eu lieu la Deuxième Guerre mondiale ?

A. De 1906 à 1910

B. De 1914 à 1918

C. De 1920 à 1924

D. De 1939 à 1945

13. Lequel de ces ingrédients ne retrouve-t-on pas dans un délicieux mets québécois, le pâté chinois ?

A. Le maïs

B. La tomate

C. La pomme de terre

D. Le bœuf haché

14. Qui a écrit et chanté la célèbre chanson française *La Bohème* ?

A. Francis Cabrel

B. Serge Gainsbourg

C. Charles Aznavour

D. Jacques Brel

15. À quelle ville King Kong s'attaque-t-il dans le film qui porte son nom ?

A. New York
B. Londres
C. Los Angeles
D. Berlin

Réponses à la page 84

RÉSULTATS DU TEST

Entre 12 et 15 bonnes réponses :
Bravo ! On peut dire que vous avez une très bonne culture générale.

Entre 9 et 12 bonnes réponses :
Pas mal, mais vous pouvez certainement faire mieux.

Entre 6 et 9 bonnes réponses :
Hum... Était-ce si difficile ?

Entre 0 et 6 bonnes réponses :
Il serait peut-être bon d'ouvrir un peu plus grands vos yeux et vos oreilles afin de découvrir davantage le merveilleux monde qui vous entoure. Ce n'est qu'une suggestion !

Le Métier Super Cool

Cascadeuse

Nathalie Girard

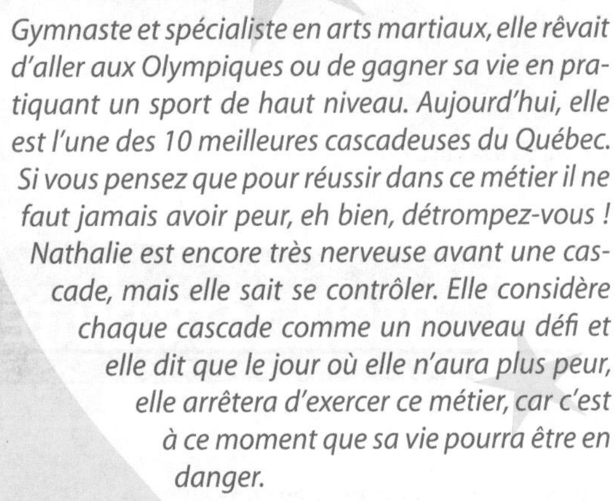

Gymnaste et spécialiste en arts martiaux, elle rêvait d'aller aux Olympiques ou de gagner sa vie en pratiquant un sport de haut niveau. Aujourd'hui, elle est l'une des 10 meilleures cascadeuses du Québec. Si vous pensez que pour réussir dans ce métier il ne faut jamais avoir peur, eh bien, détrompez-vous ! Nathalie est encore très nerveuse avant une cascade, mais elle sait se contrôler. Elle considère chaque cascade comme un nouveau défi et elle dit que le jour où elle n'aura plus peur, elle arrêtera d'exercer ce métier, car c'est à ce moment que sa vie pourra être en danger.

• EN QUOI CONSISTE SON MÉTIER ?

Le cascadeur exécute toutes les actions qui comprennent un risque pour le comédien ou toutes celles que ce dernier ne se sent pas à l'aise d'exécuter lui-même au cours d'un tournage, comme courir, monter sur une échelle, débouler un escalier, se jeter hors d'une voiture en marche ou même prendre en feu !

• COMMENT EST-ELLE DEVENUE CASCADEUSE ?

Elle a gagné sa vie en tant que maquilleuse sur des plateaux de tournage jusqu'au jour où une copine de travail, qui savait qu'elle excellait en arts martiaux, lui a suggéré de tenter sa chance comme cascadeuse. « Tu serais bonne dans les bagarres ! » lui a-t-elle dit. Nathalie a trouvé l'idée géniale et a commencé à s'entraîner en pratiquant différentes cascades.

• QUELLE A ÉTÉ SA PREMIÈRE CASCADE ?

Donner un coup de pelle (une vraie...) à une autre fille ! Et puisque Nathalie avait déjà joué au baseball, cette cascade a été facile à réaliser.

• QU'EST-CE QU'ELLE TROUVE LE PLUS COOL DANS SON MÉTIER ?

Elle a la chance d'essayer plein de trucs qu'elle n'aurait jamais faits autrement. Par exemple, voler dans un hélicoptère de l'armée, conduire des Porshe, se transformer en zombie et rencontrer des stars de cinéma ! Elle a côtoyé, entre autres, Nicolas Cage et Angelina Jolie sur des plateaux de tournage.

• QU'EST-CE QU'ELLE TROUVE LE MOINS COOL ?

Les blessures ! Elle a subi plusieurs commotions cérébrales. De plus, à force de prendre autant de coups, son corps est devenu plus fragile, notamment ses ligaments.

• QU'EST-CE QU'IL FAUT POUR DEVENIR UN BON CASCADEUR ?

> Il n'y a malheureusement pas de formation offerte au Québec. Pour être un bon cascadeur, on doit être physiquement en forme, avoir du courage et du caractère, être capable de faire face à la pression, avoir un petit côté « fou » et aller au bout des choses tout en étant capable de dire non si on se sent en danger.

> Il faut aussi être sérieux, avoir une bonne écoute, être apte à contrôler ses peurs et, idéalement, exceller dans un sport extrême ou une autre discipline comme la gymnastique, les arts martiaux, le skate-board, le yamakasi, etc.

> Être patient peut aussi aider, car les journées sont parfois longues sur les plateaux de tournage. Une chose est sûre, plus vous possédez de connaissances et d'expériences diverses, mieux c'est. N'hésitez donc pas à vous inscrire à des cours d'escalade, d'acrobatie, de saut en parachute, de plongeon, etc. Il existe même un cours de conduite dangereuse aux États-Unis. Voilà, bonne chance et soyez prudents !

• SES CASCADES PRÉFÉRÉES ?

Passer à travers une vitre et se bagarrer !

• OÙ L'A T ON VUE ?

> *Dans une annonce de Familiprix, Nathalie jouait la fille qui fonçait dans une vitrine de magasin. Savez-vous combien de fois elle a dû reprendre cette scène ? Quarante fois ! Ouch, pauvre elle !*

> *Elle a fait partie de la série* **BIG WOLF ON CAMPUS**, *à VRAK.TV.*

> *Elle a incarné un mutant (photo ci-dessus) dans le film* **JACK BROOKS : MONSTER SLAYER.**

> *Au moment où je l'ai rencontrée, elle travaillait au film* **THE SPIDERWICK CHRONICLES**, *dans lequel elle fait toutes les cascades du personnage interprété par Marie-Louise Parker, et dans une minisérie qui s'intitule* **KILLER WAVES**, *où elle double Karine Vanasse.*

terrain de jeux

VOUS TROUVEREZ LES RÉPONSES À LA PAGE 84.

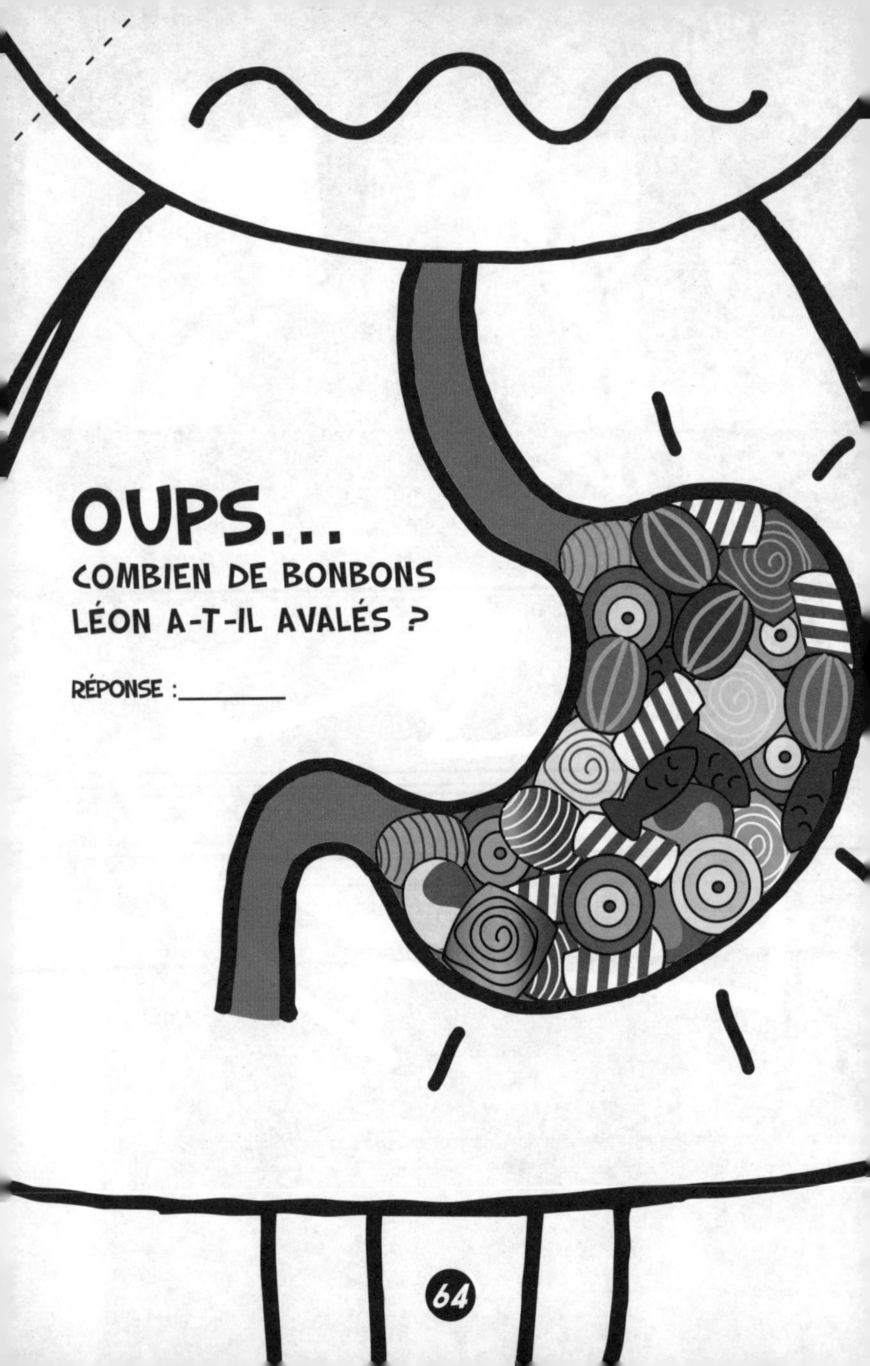
OUPS...
COMBIEN DE BONBONS
LÉON A-T-IL AVALÉS ?
RÉPONSE :________

C'est quoi, ça ?

Des objets ont été photographiés de très près, ce qui fait qu'ils sont plus difficiles à identifier. Mais vous connaissez très bien toutes ces choses, alors, pouvez-vous les nommer ?

A.

Réponse : ________________

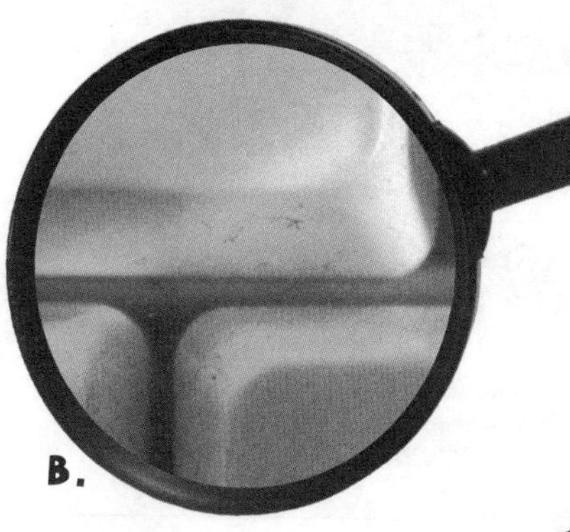

B.

Réponse : ______________

C.

Réponse : ________________

LES 25 ERREURS

1 ____________________

2 ____________________

3 ____________________

4 ____________________

5 ____________________

6 ____________________

7 ____________________

8 ____________________

9 ____________________

10 ____________________

11 ____________________

12 ____________________

13 ____________________

14 ____________________

15 ____________________

16 ____________________

17 ____________________

18 ____________________

19 ____________________

20 ____________________

21 ____________________

22 ____________________

23 ____________________

24 ____________________

25 ____________________

MOT INCOGNITO

Trouvez tous les mots dans cette grille et encerclez-les. Ils peuvent être formés horizontalement, verticalement, diagonalement et même dans les deux sens. De plus, les mêmes lettres peuvent servir plusieurs fois pour le même mot. À la fin, placez chaque lettre restante dans l'ordre dans les cases blanches ci-dessous et vous découvrirez où Léon et ses amis partiront en voyage...

· BAIE · QUAI · RÊVÉ · PAIX · DURÉE

NOUS · AMIS · LÉON · LOLA · CHAT · HÂTE · PARTIR · LOIN ·

SUD · AVION · AIRS · JOIE · FÊTE · PAYS · MER · JEUX · RIRE · EAU ·

VAGUES · SURF · REQUIN · PLAGE · TAN · LIRE · HAMAC · JUS ·

VENT · SOLEIL · SABLE · HUTTE · DODO · RELAX · VILLA · LUNE · NAGE

L	A	D	E	L	B	A	S	U	R	F	T
O	P	G	O	A	U	U	O	U	U	X	A
I	A	L	I	D	J	N	L	R	D	V	H
N	I	E	A	L	O	L	E	E	I	A	C
I	P	E	L	G	I	V	I	L	M	M	E
U	V	A	G	U	E	S	L	A	S	I	Q
Q	D	U	R	E	E	A	C	X	M	S	U
E	O	H	A	T	E	T	E	F	U	C	A
R	P	A	I	X	I	M	A	L	M	J	I
I	A	V	I	O	N	R	T	N	E	V	R
L	Y	E	R	I	R	O	U	U	R	O	S
C	S	E	T	T	U	H	X	S	U	O	N

☐☐☐ ☐☐☐☐ ☐☐☐☐-☐☐☐☐

ATTENTION ADDITIONS !

Trouvez les chiffres manquants en additionnant les nombres de chacune des lignes horizontales et verticales. Le total de chaque ligne est inscrit au bout de celle-ci.

À la fin, si vous additionnez tous les chiffres manquants, le total devrait correspondre au nombre orné d'un cercle orangé. Bonne chance !

+	+	+	+	+	+	+	
1		7	9	5	11		41
	8	9		7	1	14	48
7	9		10	3		2	36
5	10	8	3		9	7	46
17		2	4	6		8	42
5	2		2		8	3	35
	8	3	13	8	2		36
41	48	36	46	42	35	36	

- Le même chiffre peut se répéter deux fois sur la même ligne.
- Le zéro peut être utilisé.

CHASSÉ-CROISÉ

Les mots peuvent se trouver dans votre tête, dans le dictionnaire et même un peu partout dans le livre. Bonne chasse !

1. Action de mettre en noir.

2. Énergie.

3. Se marrer.

4. Terme français pour « chatter ».

5. En quoi Léon rêve-t-il de se transformer à la page 40 ?

6. Qu'est-ce qu'une étoile ?

7. Quel appareil Léon ignore-t-il dans une bd de la section « Ah, la vie ! » ?

8. Dans une tranche de pain, il y a la croûte et la ______.

9. Quel métier est présenté à la page 58 ?

10. Aux grands maux les grands ___________.

11. Synonyme de rigolo.

12. Amande, pistache, pacane...

13. De quel instrument Lola se sert-elle pour injecter un antidouleur à Léon à la page 44 ?

14. De nature graisseuse.

15. Quel animal aurait traversé la mer intérieure du Japon en planche à voile à la page 20 ?

16. Fleur.

17. Avec quoi Léon se coupe-t-il les cheveux à la page 12 ?

18. Antonyme du 28e mot du texte de la page 28.

19. Malentendu.

20. Fête annuelle célébrée le 31 octobre.

21. De quelle couleur est la palme dans la valise de Léon à la page 67 ?

22. De quoi traite la section « DOUCÉQUECÉQUEÇAVIENT » ?

8.
10.
22.
6.
19.
5.
16.
17.
2.
4.
15.
9.
7.
11.
21.
20.
18.
14.
3.
1.
12.
13.

AYEZ L'AIR INTELLIGENTS dans le temps de le dire !

Parce qu'il est agréable, de temps en temps, de placer un « grand mot » dans une conversation, en voici quelques-uns à retenir...

Placez le mot **épicurien** dans une conversation :

... j'aime les plaisirs de la vie, la bonne musique, la bonne bouffe, les fêtes entre amis, je suis un épicurien, quoi !

Définition : Qui ne songe qu'au plaisir.

Le nouveau Petit Robert 2007

Placez le mot **ambidextre** dans une conversation :

... je suis à l'aise aussi bien avec ma main droite qu'avec ma main gauche au baseball, au hockey ou au minigolf, je suis ambidextre dans les sports.

Définition : Qui peut faire la même chose de la main droite ou de la main gauche, avec autant de facilité.

Le nouveau Petit Robert 2007

Placez le mot **procrastination** dans une conversation :

... à force de toujours remettre tout ce que l'on a à faire au lendemain, on peut dire qu'on est vraiment des adeptes de la procrastination !

Définition : Tendance à tout remettre au lendemain, à ajourner, à temporiser.

Le nouveau Petit Robert 2007

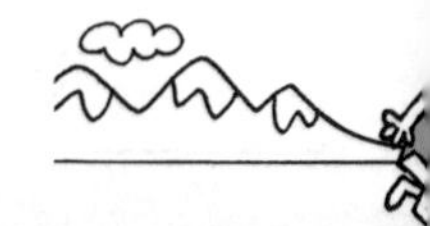

PAS VITE, VITE

RETIRÉ !
Salut Léon !
Tu veux qu'on se lance la balle ?
Non, je dois aller au guichet automatique
Avec ton gant de baseball ?
Oui, je vais faire un retrait !

RECETTE SECRÈTE

ÇA A L'AIR...

Savais-tu qu'un bruit court en ce moment ?

Ah, oui ? Lequel ?

Celui-là !

VROUM !

CODE SECRET

Pour trouver le CODE SECRET, vous devez répondre correctement aux 10 questions suivantes et retranscrire chaque réponse à la page 81, au-dessus du numéro correspondant à la question.

Ce code vous permettra d'accéder au jeu 2 sur le site **cyberleon.ca**.

Si ça ne fonctionne pas, malheureusement, vous devrez revoir attentivement chaque question et trouver par vous-mêmes où vous auriez pu faire une erreur.

Parfois, la réponse se trouve sur le site Internet de Léon. Si c'est le cas, cette petite icône vous l'indiquera.

WWW. Bonne chance...

10 INDICES questions

1. Continuez l'ordre logique des chiffres.

1, 9, 2, 8, 3, 7, ___

Réponse 1 : ______

2. Quelle est la première lettre du code postal du père Noël au pôle Nord ?

Réponse 2 : ______

3. Quelle est la cinquième lettre du nom de la capitale du Canada ?

Réponse 3 : ______

4. Additionnez les quatre chiffres de l'année de naissance d'Annie Groovie, puis retranchez 11 du total.

WWW.

Réponse 4 : ______

5. Combien y a-t-il de lettres dans le plus célèbre code de détresse ?

Réponse 5 : ______

6. Quelle lettre est utilisée au cinéma pour indiquer qu'un film s'adresse à un public général ?

Réponse 6 : ______

7. Combien de pattes ont les araignées ?

Réponse 7 : ______

8. Quelle lettre revient le plus souvent dans le nom de celui qui a découvert l'Amérique ?

Réponse 8 : ______

9. Il est 15 h. Sur l'horloge, cela forme une lettre. Laquelle ?

Réponse 9 : ______

10. Combien y a-t-il de centimètres dans un mètre ? Divisez la réponse par 4, puis multipliez-la par 7. Additionnez les chiffres de cette réponse, puis faites de même avec ceux du total que vous avez obtenu.

Réponse 10 : ______

Rapportez ici toutes les bonnes réponses et découvrez le CODE SECRET !

____	____	____	____	____	____	____	____	____	____
1.	2	3	4	5	6	7	8	9	10

Il ne vous reste plus qu'à entrer ce code sur

www.cyberleon.ca

dans les sections « Bonbons » et « Jeux ».

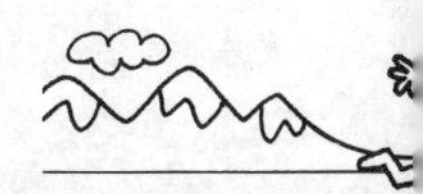

ANNIE GROOVIE À VOTRE ÉCOLE

COOL

EH OUI, ANNIE GROOVIE FAIT DES TOURNÉES DANS LES ÉCOLES !
SI CELA VOUS INTÉRESSE, VOUS TROUVEREZ TOUTE L'INFORMATION
SUR LE SITE WWW.CYBERLEON.CA.

À BIENTÔT PEUT-ÊTRE !

Annie Groovie voit le jour le 11 avril 1970, à 19 h 15, en plein souper de cabane à sucre. Elle grandit heureuse et comblée à Québec. Très tôt, elle développe un goût profond pour la création (et pour les sucreries...). Dès l'âge de huit ans, elle remporte son premier concours de dessin, grâce à son originalité.

Annie est diplômée en arts plastiques et bachelière en communications graphiques. Elle exerce le métier de conceptrice publicitaire depuis plusieurs années à Montréal, où elle habite depuis 1994 (eh oui, elle vieillit...).

Annie est une grande adepte de la gymnastique ainsi qu'une mordue de cirque et d'acrobaties de toutes sortes. En 1997, elle est sélectionnée par le Cirque du monde et part trois mois au Chili pour enseigner les arts du cirque aux enfants de la rue.

En 2003, Annie Groovie se découvre une toute nouvelle passion : la création de livres pour enfants. Aujourd'hui, les albums consacrés à son personnage de Léon « roulent » à merveille. Elle a un projet de dessins animés en production, et vous tenez présentement le deuxième numéro d'une série de livres tout à fait délirants !

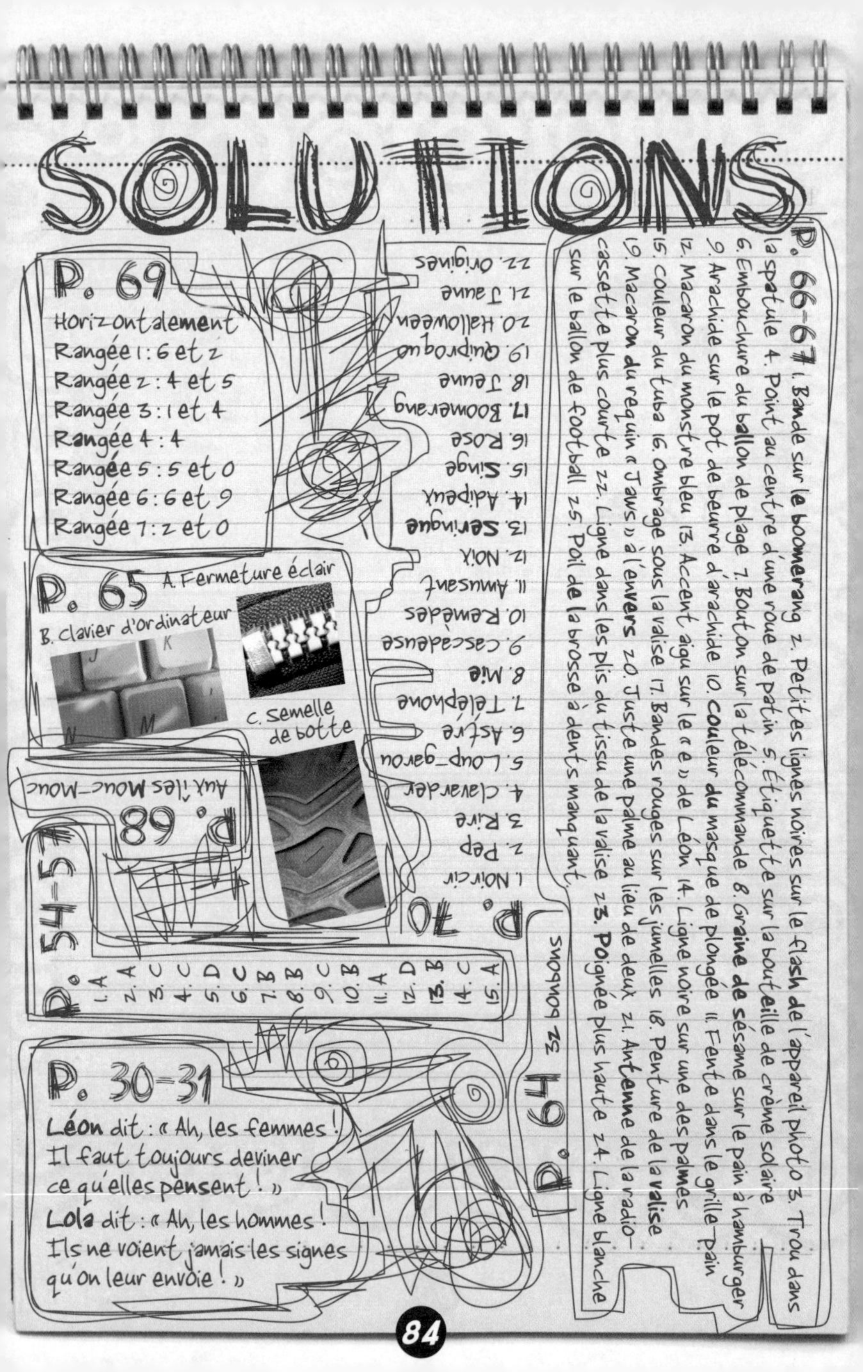

SOLUTIONS

P. 69

Horizontalement
Rangée 1 : 6 et 2
Rangée 2 : 4 et 5
Rangée 3 : 1 et 4
Rangée 4 : 4
Rangée 5 : 5 et 0
Rangée 6 : 6 et 9
Rangée 7 : 2 et 0

P. 65

A. Fermeture éclair
B. Clavier d'ordinateur
C. Semelle de botte

P. 68

Aux îles Mouc-Mouc

P. 54-57

1. A
2. C
3. C
4. C
5. D
6. C
7. B
8. B
9. C
10. B
11. A
12. D
13. B
14. C
15. A

P. 30-31

Léon dit : « Ah, les femmes ! Il faut toujours deviner ce qu'elles pensent ! »
Lola dit : « Ah, les hommes ! Ils ne voient jamais les signes qu'on leur envoie ! »

P. 70

1. Noircir
2. Pep
3. Rire
4. Clavarder
5. Loup-garou
6. Astre
7. Téléphone
8. Mie
9. Cascadeuse
10. Remèdes
11. Amusant
12. Noix
13. Seringue
14. Adipeux
15. Singe
16. Rose
17. Boomerang
18. Jeune
19. Quiproquo
20. Halloween
21. Jaune
22. Origines

P. 64

22 pompons

P. 66-67

1. Bande sur le boomerang 2. Petites lignes noires sur le flash de l'appareil photo 3. Trou dans la spatule 4. Point au centre d'une roue de patin 5. Étiquette sur la bouteille de crème solaire 6. Embouchure du ballon de plage 7. Bouton sur la télécommande 8. Graine de sésame sur le pain à hamburger 9. Arachide sur le pot de beurre d'arachide 10. Couleur du masque de plongée 11. Fente dans le grille-pain 12. Macaron du monstre bleu 13. Accent aigu sur le « e » de Léon 14. Ligne noire sur une des palmes 15. Couleur du tuba 16. Ombrage sous la valise 17. Bandes rouges sur les jumelles 18. Penture de la valise 19. Macaron du requin « Jaws » à l'envers 20. Juste une palme au lieu de deux 21. Antenne de la radio-cassette plus courte 22. Ligne dans les plis du tissu de la valise 23. Poignée plus haute 24. Ligne blanche sur le ballon de football 25. Poil de la brosse à dents manquant.

Les éditions de la courte échelle inc.
5243, boul. Saint-Laurent
Montréal (Québec) H2T 1S4
www.courteechelle.com

Révision :
André Lambert et Valérie Quintal

Muse : Franck Blaess

Dépôt légal, 2e trimestre 2007
Bibliothèque nationale du Québec

La courte échelle reconnaît l'aide financière du gouvernement du Canada par l'entremise du Programme d'aide au développement de l'industrie de l'édition pour ses activités d'édition. La courte échelle est aussi inscrite au programme de subvention globale du Conseil des Arts du Canada et reçoit l'appui du gouvernement du Québec par l'intermédiaire de la SODEC.

La courte échelle bénéficie également du Programme de crédit d'impôt pour l'édition de livres — Gestion SODEC — du gouvernement du Québec.

Catalogage avant publication de Bibliothèque et Archives Canada

Groovie, Annie

Délirons avec Léon

Pour enfants de 8 ans et plus.

ISBN 978-2-89021-915-1

I. Titre.

PS8613.R66D44 2007 jC843'.6 C2006-942113-7
PS9613.R66D44 2007

Imprimé en Malaisie

LÉON A MAINTENANT

Léon et les expressions

Léon et les superstitions

RIGOLONS AVEC LÉON !

Léon et les bonnes manières

Léon et l´environnement